"동영상"

운전면허 실기시험 테크닉

장내 기능 & 도로주행

GoldenBell
www.gbbook.co.kr

합격 실기시험

　　2016년 12월 22일부터 운전면허 장내 기능시험제도가 강화됨에 따라 응시자들의 합격률은 매우 낮습니다.

　　e-책은 긴장한 수험생 여러분들께 꿀팁같은 시험연계프로그램으로써 시간과 돈의 절약책이 되고자 합니다.

　　도로교통법 시행규칙을 골간으로 하여 응시자 여러분들 입장에서 다음과 같이 고민하였습니다.

▶ 글밥은 최대한 줄이고 실사, 일러스트, 동영상 강의를 중심으로 제작

▶ 난이도가 높은 T코스 등에서는 부분동작 스틸과 함께 내레이션도 곁들임

▶ 출발부터 종료까지의 시험방법, 채점 기준, 벌점 및 주의사항까지 꼼꼼히 나열

모쪼록 e-책의 안내로 당신에게 합격의 미소가 띄기를...!!

2018년 1월 GB운전기획단

e책 활용방법

▶ 챕터 1과 4의 첫 섹션에는 동영상 강의를 온라인으로 시청할 수 있는 QR코드가 표시되어 있습니다. 스마트폰으로 QR앱을 다운로드하신 후 시청하세요.

▶ 공부했지만 쉽게 와닿지 않는 부분들은 e-책의 일러스트와 사진들을 보면서 천천히 훑어보세요.

▶ 난해한 코스라면 부분 촬영 동영상 스킬에 따라 연습하고 시험에 임합니다.

▶ 그것이 궁금하다! 코너를 통해 면허 취득 후 마주치게 될 다양한 운전 및 케어 상황을 미리 알아봅니다.

▶ 책 속의 책에는 운전 중 돌발 상황이 일어났을 때 처치 요령을 수록하였습니다.

알림

e-책은 「도로교통법시행규칙」에 충실하였으나 간혹 미흡한 내용이 있다면 법제처 국가법령정보센터(www.law.go.kr)로 들어가신 후 「도로교통법시행규칙」을 확인하시기 바랍니다.

STOP

C·O·N·T·E·N·T·S

1 장내 기능시험 준비하기

2 장내 기능시험 도전!

3 연습면허 발급

최종 면허
취득 후
알아둘 팁!

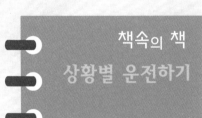

책속의 책
상황별 운전하기

CHAPTER 1

장내 기능시험 준비하기

기능시험 전 필독사항

1, 2종 보통면허

1 ### 시험응시 준비물

- 시험 당일에 응시원서, 신분증 지참

- 대리 접수시 : 대리인 신분증 및 위임자의 위임장 제출

2 ### 합격 기준

- 100점 만점에 **80점** 이상

3 ### 수수료

- 18,500원 (2018년 기준)

장내기능시험
전과정
동영상

기능시험 전과정을 동영상으로 공부할 수 있습니다!

다음 QR코드를 스캔하여 동영상을 시청하세요.

QR코드 앱은
플레이마켓이나
애플 앱스토어에서
다운로드하세요.

1종보통

2종보통

운전면허 장내기능시험 (1종 보통)

제작 (주)골든벨
협조 우석자동차운전전문학원

SECTION

02 시험 코스

총 주행거리 : 300m 이상

01 운전장치 조작

차로준수 및 급정지 02

07 전진(가속 구간)

시험장마다
시험순서는 다를 수
있어요.

03 경사로

04 좌·우 회전

신호 교차로 06

직각 주차(T코스) 05

03 실격기준 및 사유

운전장치 조작시

1. 운전석에 앉은 후 출발부터 종료까지 안전띠 미착용시

2. 엔진 시동시 키를 꽂고 3회 이상 시동을 걸지 못했을 때

3. 특별한 이유없이 출발선에서 30초 이내 출발하지 못했을 때

4. 출발시 주차 브레이크를 잠근 상태에서 출발할 경우

출발부터 종료까지

5. 주행중 안전사고를 일으키거나 자동차 바퀴가 차선을 밟은 경우

경사로에서

6. 경사로에서 정지하지 않고 그냥 통과할 때

7. 경사로에서 멈춘 후 30초 이내에 정지선을 통과하지 못한 때

8. 경사로 정지구간에서 1m 이상 후방으로 밀린 때

9. 정지 신호시 앞 범퍼가 정지선을 넘었을 때

직각주차시

10. 직각 주차(T코스)에서 완전 후진 후 확인선을 접촉하지
    못했을 때

가속구간에서

11. 가속 코스에서 기어 변속을 못했을 때
    (수동변속기 차량에만 한함)

12. 시험관의 지시나 통제를 따르지 않거나 음주, 과로, 마약,
    대마, 약물 등으로 정상적인 시험 진행이 어려울 때

SECTION

04 그 밖에 알아야 할 사항

인지할 사항	**1** 학과시험 합격일로부터 1년 이내 기능시험에 합격해야 함
	(1, 2종 응시자는 연습운전면허를 발급까지 받을 것)
	2 1년 경과시 학과시험부터 재응시
	(교통안전교육은 면제)

불합격 후 재응시할 경우	기능시험 불합격자는 불합격일로부터 3일 경과 후 재응시 가능함

3일 후 재응시가 가능하
니 불합격해도 바로 도전
하세요!

그것이 궁금하다!

어린이 보호구역이란?

주로 어린이들이 많이 있는 학교 근처에 표시되며, 대부분 차량의 속도를 30km/h로 하여 사고 발생을 줄이는 구간입니다. 여기서는 운전자 스스로 경계심을 갖고 운전을 하여야 합니다.

일방통행이란?

일반적으로 도로는 양방향으로 차량 통행이 가능하나, 일방통행이 표시된 곳은 차량의 원활한 흐름을 위하여 한쪽으로만 통행이 가능하도록 지정한 곳으로 절대 반대 방향으로는 운행하지 않도록 해야 합니다. 가끔 일방통행 도로에서 나도 모르게 표지판을 인지하지 못하고 역주행하다가 마주 오는 차량을 보고 오히려 상대방에게 화를 내며 승강이를 벌이는 운전자들을 보곤 하는데 요. 이제부터는 골목길을 주행할 때는 꼭, 일방통행 표지판을 유심히 살펴 운전하도록 합시다.

노인 보호구역이란?

나이 드신 노인들이 보행하는 지역에는 특별히 노인보호구역을 정하여 운전자로 하여금 일반인보다 속도가 늦은 노인 보행자들을 주의해서 운행하도록 정해놓은 구역입니다.

CHAPTER

2

장내 기능시험 도전!

- 좌석·백미러 조절하기
- 코스 순서 점검하기
- 운전장치 조작능력시험
- 차로준수 및 급정지
- 경사로
- 신호 교차로
- 직각 주차(T자 코스)
- 그 밖에 알아야 할 사항

SECTION 01 좌석·백미러 조절하기

승차 후 운전석 및 후사경 등을 본인 체형에 맞게 조절한 후 안전띠를 매고 차내 안내 방송에 따라 행동한다.

좌석 위치 조절

01 앞뒤 조절
(페달 조작을 정확하게 하기 위해)

02 등받이 조절
(핸들 조작을 정확하게 하기 위해)

다리·허리를 사용해 조절한다.

조절 레버를 들어올린다.

핸들 높이를 조절한다.

등을 사용해 조절한다.

시트 높이를 조절한다.

조절 레버를 들어올린다.

How to 백미러 위치 조절

룸미러

후방 시야가 미러 중앙에 비치도록 위치시킨다.

유리에는 손이 닿지 않게 한다.

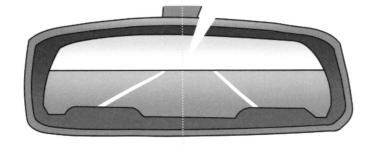

자세는 흩뜨리지 말고 눈만 움직인다.

사이드 미러

차체가 약 1/4 만큼 비치도록 조정한다.

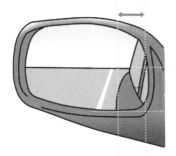

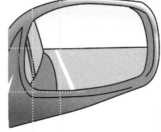

노면이 약 1/2~2/3이 비치도록 조정한다.

시트벨트 잠금 방법, 해제 방법

잠금 방법

01 양손으로 벨트를 크게 당긴다.

비틀리지 않도록

02 잠금장치를 확실하게 끼운다.

쇄골 중앙 부분에 오도록

골반을 감싸듯이

해제 방법

03 왼손으로 잡아주면서 해제버튼을 누른다.

❗ 운전석에 앉은 다음에 아래 순서대로 조작한다.

| **시트** 위치조절 | **미러** 위치조절 | **벨트** 잠그기 |

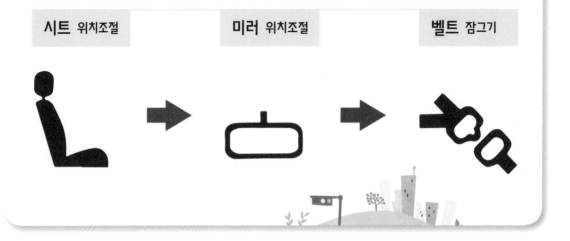

그것이 궁금하다!

AT란?

자동변속기(Automatic Transmission)를 말합니다. 운전자의 조작에 의하지 않고 자동적으로 기어 비가 선택되어 달리는 속도에 따라 기어가 자동으로 조작되는 변속기입니다.

변속기뿐만 아니라 클러치 기능도 함께 있어 자동 변속기노 클러치, 자동 기어 박스라고도 부릅니다. 이 자동 변속기는 차가 달리는 데 필요한 발진 조작과 기어 변속을 자동화한 것입니다.

또한 차마다 설정된 속도와 액셀러레이터의 밟기에 따라 적정한 기어를 선택하는데, 필요에 따라 가속 때도 자동적으로 변속하는 것을 풀 오토매틱이라고 합니다.

MT란?

수동변속기(Manual Transmission)를 말합니다. 선택기어식 변속기라고도 합니다. 자동차는 일정 속도로 전진만 하는 것이 아니라 때로는 엔진의 동력전달을 끊어야 하고, 후진하려고 회전방향을 바꾸기도 합니다. 이러한 동력전달을 단속하는 장치를 클러치(clutch)라고 하며, 클러치를 발로 조정하면서 운전자가 손으로 변속 레버를 직접 조작하는 변속기를 수동변속기라고 합니다.

달리는 중간에 엔진이 정지할 우려가 있으며, 가속 및 감속 때의 충격과 소음이 큽니다. 자동변속기와 비교하면 운전조작이 까다로운 반면 연료소비율이 좋습니다. 클러치를 조작할 때마다 클러치디스크가 마모될 수 있으므로 10만km 정도를 주행한 후에는 클러치디스크를 교환해야 합니다.

SECTION

02 코스 순서 점검하기

출발 지점에 서면 갑작스러운 긴장감으로 인해 코스 순서가 헷갈릴
수 있다. 어떤 순서로 진행되는지, 각 코스별 중점 사항은 무엇인지
옆 페이지 그림을 통해 다시 한 번 점검하도록 하자.

● ● ● ● ● ● ● ● ● ● ● ● ● ● ● ● ▶

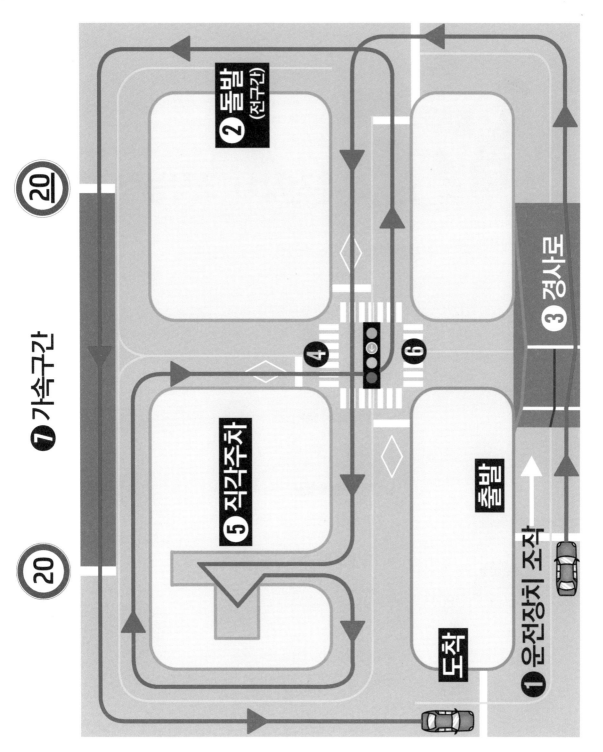

SECTION 03 운전장치 조작능력시험

주차 브레이크를 잠근 상태에서 안내 방송에 따라 기어변속, 전조등, 방향지시등, 와이퍼 중 안내 방송 후 2가지의 장치만 조작하면 된다.

기어 변속 조작   안내 방송에 따라 변속 레버를 다음과 같이 조작한다.

▶ **1종보통(수동)**

2단 또는 후진으로 넣었다가 다시 중립으로

▶ **2종보통(수동)**

1단 또는 후진으로 넣었다가 다시 중립으로

▶ **1·2종보통(자동)**

주차(P) → 진행 또는 중립(D, N) → 주차(P)

주의하세요!

감점 -5

• 10초 이내 지시한 기어를 넣지 못한 경우
• 수동차량은 중립(N), 자동차량은 주차(P) 위치로 전환하지 못한 경우

How to 출발 방법 – MT(수동변속기)

01 클러치 페달을 밟는다.

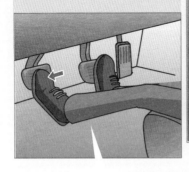

최대한!

02 로 기어에 넣는다.

정확하게!

03 핸드 브레이크를 푼다.

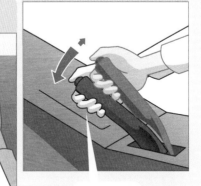

완전하게!

04 액셀러레이터를 밟는다.

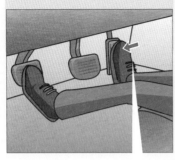

일정하게

05 반클러치 상태로 조작한다.

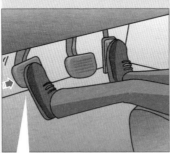

잠시 멈춘다.

06 출발 !!

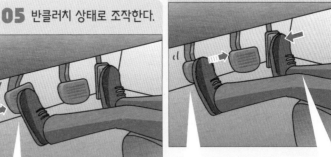

천천히 뗀다.   천천히 밟는다.

 **전조등 조작**

전조등을 켜고 상향 또는 하향등을 조작한 다음 전조등을 끈다.

감점

-5

- 5초 이내에 전조등을 켜거나 끄지 못한 경우
- 상·하향등으로 전환하지 못한 경우

 **방향지시등 조작**

좌측 또는 우측 방향지시등을 켠 다음 방향지시등을 끈다.

감점

-5

- 5초 이내에 방향지시등을 켜거나 끄지 못한 경우

 **와이퍼 조작**

와이퍼를 작동시킨 뒤 다시 와이퍼를 끈다.

감점

-5

- 5초 이내에 와이퍼를 켜거나 끄지 못한 경우

🚗 스위치 종류의 명칭과 취급방법

방향지시등(윙커) 레버

오른쪽으로
신호를 보낸다.

⬆
⬇

왼쪽으로
신호를 보낸다.

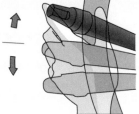

비상점멸 표시등(Hazard) 스위치

누르면 앞뒤로
깜빡인다.

라이트 스위치

① 차폭등, 미등, 번호등이 점등
② 전조등, 차폭등, 미등, 번호등이 점등

■ 방향의 전환

주행용(상향)

교차용(하향)

패싱(당기고 있는 동안 상향)

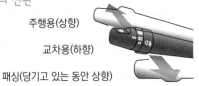

※ 전조등이 점등하지 않을 때라도 레버를 몸 쪽으로 당기고 있는
동안은 상향 전조등이 점등된다.

와이퍼 스위치

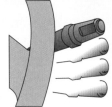

OFF - 정지

INT - 간격을 두고 작동한다

LO - 천천히 움직인다

HI - 빨리 움직인다

■ 윈도우 워셔액(유리 세정제)의 분사방법

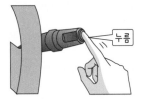

누름

※ 레버를 몸 쪽으로 당기면 분사되는 것도 있다.

SECTION 04
차로준수 및 급정지

01 출발선에서 주차 브레이크를 풀고 멘트를 듣고 시속 20km/h 미만의 속도로 진행

🚗 출발 방법 – AT(자동변속기)

01 체인지 레버를 D에 넣는다.

브레이크를 정확하게 밟은 상태로

눈으로 확인한다.

02 핸드 브레이크를 푼다.

완전히!

03 브레이크 페달에서 발을 뗀다.

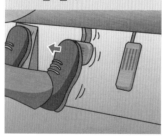

04 액셀러레이터로 발을 옮긴다.

05 액셀러레이터를 천천히 밟는다.

02 출발시 전·후·좌·우의 교통상황을 확인하고, 좌측방향지시등을 작동하면서 출발하여 차선 중앙으로 진입하는지 여부

03 진입 후 방향지시등을 소등하는지 여부

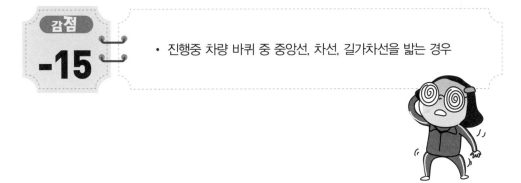

감점 -15
- 진행중 차량 바퀴 중 중앙선, 차선, 길가차선을 밟는 경우

04 출발부터 종료지점 통과까지 "돌발 돌발 돌발" 이라는 경고음성과 동시에 조수석 앞에 설치된 돌발등이 켜지면 2초 이내에 정지, 3초 이내에 비상점멸등을 작동, 돌발 상황 종료 후 비상점멸등을 끄고 진행

감점 -10
- 2초 이내 정지하지 못한 경우
- 3초 이내에 비상점멸등을 작동 못한 경우
- 비상점멸등을 끄지 않고 1m 이상 주행한 경우
- 돌발상황 지시 전 비상점멸등을 작동했을 때

공회전 및 시동꺼짐

감점

-5

- 주행중 시동이 켜질 때마다
- 엔진이 과도한 공회전을 일으켰을 때

지정시간 초과시

감점

-3

- 매 구간 지정시간을 5초 이상 초과시

지정속도 초과시

감점

-3

- 전 구간에서 가속 구간을 제외한 시속 20km/h 초과시
- 매 3초 이상 초과시

그것이 궁금하다!

지시표시 교통안전표지판이란?

운전자에게 도로의 통행방법, 통행구분 등 도로교통의 안전을 위하여 필요한 지시를 하는 경우에 도로사용자가 이에 따르도록 알리는 표지판으로 청색 바탕에 흰색 기호로 표시되어 있습니다.

자동차전용도로　자전거전용도로

규제표시 교통안전표지판이란?

도로교통의 안전을 위하여 각종 제한, 금지 등의 규제를 하는 경우에 이를 도로사용자에게 알리는 표지이며, 빨간색 테두리에 흰색 또는 청색으로 채워지고, 검은색 기호를 사용하여 표시합니다.

통행금지　자동차 통행금지

주의표시 교통안전표지판이란?

도로상태가 위험하거나 도로 또는 그 부근에 위험물이 있는 경우에 필요한 안전조치를 할 수 있도록 이를 도로사용자에게 주의를 환기시킬 목적으로 필요한 지역을 알려주며 빨간색 테두리에 노랑색으로 채워지며, 기호는 검은색으로 표시합니다.

+자형 교차로　T자형 교차로

보조표시 교통안전표지판이란?

주의표지 또는 규제표지, 지시표지의 주기능을 보충하고 설명하여 도로사용자에게 알리는 표지이다. 주로 흰색바탕에 검은색 글씨로 표시됩니다.

거 리
100m앞부터

SECTION 05 경사로

오르막 정지구간에서 3초 이상 정지하였다가 50cm
이상 후진하지 않으면서 출발하는지 여부

오르막길 중간에서의 정지방법 – MT(수동변속기)

■ 오르막길에서는 뒤로 당기는 힘이 작용한다.

- 액셀러레이터에서 발을 떼면 바로 느려진다.
- 브레이크를 약하게 밟아도 잘 멈춘다.
- 브레이크를 늦추면 역행한다.

■ 오르막길에서의 정지방법

01 액셀러레이터를 조절해 서서히 속도를 낮춘다.

02 브레이크를 가볍게 사용해 멈출 위치를 조절한다(클러치 페달을 늦게 밟지 않도록 한다).

03 멈춘 다음에는 뒤로 밀리지 않도록 브레이크를 잘 밟는다.

오르막길 중간에서의 정지방법 – AT(자동변속기)

■ **오르막길·내리막길**

■ **앞차에 이어 정지할 때**

가벼운 브레이크
로 살짝 멈춘다.

브레이크로 멈출
위치를 조절한다.

앞차가 밀릴지도
모르지~

평지보다 거리를
많이 둔다.

※ 이 경우 정지구간은 오르막 시작점 1미터 지점에서부터 상부 곡선부 시작점 1m 못
미친 지점의 30cm 폭까지로 하고, 해당 정지 구간 이탈범위는 자동차의 앞범퍼를
기준으로 판단

감점
-10

· 정지 구간 안에 3초 이상 정차 못한 경우

· 후방으로 50cm 이상 밀린 경우

🚗 오르막길에서의 출발방법 – MT(수동변속기)

■ 후방확인을 잊지 않는다.

뒤쪽에 차가 있나?
거리는?

● 오르막길에서 출발할 때는 차가 뒤로 밀리지 않도록 주의한다.

■ 핸드 브레이크를 사용한 오르막길 출발방법
(급격한 오르막길 등과 같이 밀리면 위험한 경우)

01 로 기어에 넣고 핸드 브레이크를 건 다음 후방 안전을 확인한다.

확실하게!

반클러치가 되면 엔진소리가 바뀐다.

부~ 부우~

나가려는 힘과 내려가려는 힘의 균형을 이루면 핸들 브레이크를 풀어도 차는 정지상태가 된다.

02 액셀러레이터 페달을 밟고, 반클러치로 조작한다.

반 클러치 상태로

약간 강하게

03 핸드 브레이크를 푼다.

반 클러치를 유지한다.

04 계속해서 액셀러레이터를 밟고 클러치 페달에서는 가만히 발을 뗀다.

■ 핸드 브레이크를 사용하지 않아도 되는 오르막길 출발방법

(완만한 오르막길 등, 약간 밀려도 위험하지 않은 경우)

오르막길도 완만하고, 뒤에 차도 없네~

확실하게!

01 로 기어에 넣고 후방안전을 확인한다.

02 액셀러레이터 페달을 밟는 동시에 반클러치 상태로 조작한다.

03 액셀러레이터 양을 조절하면서 클러치 페달에서 서서히 발을 뗀다.

■ 오르막길에서 엔진이 정지했을 경우

01 먼저 브레이크 페달을 힘 있게 밟아 차가 밀리는 것을 막는다(핸드 브레이크도 건다).

딱~

02 클러치 페달을 끝까지 밟고 엔진시동을 건다.

부르르릉~

오르막길에서의 출발방법 – AT(자동변속기)

■ 오르막길에서 브레이크로부터 발을 떼면 어떻게 되나?

● 크리프 현상으로 전진한다.

● 균형을 이루어 정지한다.

● 뒤로 밀린다.

⇨ 오르막길 각도에 따라 아래와 같은 상황을 예상할 수 있다.

발을 떼면 내려가겠지…?

■ 핸드 브레이크를 사용한 오르막길 출발방법

01 핸드 브레이크를 걸고, 후방의 안전을 확인한다.

02 액셀러레이터 페달에서 약간 발을 떼고 핸드 브레이크를 원위치시킨다.

03 액셀러레이터 페달을 밟는다.

확실하게!!

그것이 궁금하다!

냉각수가 뭔가요?

자동차를 움직이게 할 수 있는 기본적인 부품은 '엔진'입니다. 엔진에서 연료와 공기를 적당하게 혼합하여 폭발을 일으킴으로써 동력을 만듭니다. 이러한 동력을 만들기 위해서는 엔진 안에서는 엄청난 온도가 발생합니다.

그 열을 식혀주기 위해서 냉각수가 있습니다. 냉각수는 엔진 내부를 순환하면서 뜨거워진 냉각수를 라디에이터로 보내 라디에이터의 관으로 통과하면서 수온이 다시 낮아져 엔진 내부로 들어가게 됩니다.

특히 더운 여름날에 자동차 보닛에 하얀 연기가 피어나는 경우들을 볼 수 있는데요. 이는 엔진이 과열되어 냉각수 부족이나 주로 냉각에 관련된 부품이 고장 난 경우입니다.

부동액이란 뭔가요?

냉각수의 역할은 이제 잘 아실 겁니다. 냉각수의 또 다른 역할이 있다면 추운 겨울철에 자동차 실내를 따뜻하게 해주는 히터 역할입니다. 언뜻 보면 무슨 소리일까 하겠지만, 잘 생각해보면 쉽게 이해할 수 있습니다. 뜨거워진 엔진을 냉각수로 식히게 되면, 그 뜨거워진 냉각수는 다시 히터를 통과하면서 블로우 모터를 통해 자동차 실내로 뜨거운 바람을 보내게 되어 추운 겨울날 실내를 따뜻하게 해줍니다.

여기서 냉각수라고 하는 것은 식혀준다고 하여 '냉각수'라 불리며, 겨울철에는 이러한 액체가 얼지 말라는 의미에서 '부동액'이라고도 쓰입니다. 이는 계절의 따라 다르게 냉각수와 부동액으로 불리는 것입니다.

SECTION

06 신호 교차로

01 신호기의 신호에 따라 운전하는지 여부

02 구체적으로 직진신호 시 직진하고, 우회전할 때에는 우회전 방향지시등을 작동하면서 우회전을 한다. 그리고 정지신호일 때에는 정지하고, 좌회전 신호일 경우 좌회전 방향지시등을 켜고 좌회전 하는지 등을 확인

03 좌회전을 포함하여 1회 이상 신호교차로 통과

감점

-5

- 방향지시등을 켜지 않거나 늦게 켰을 때
- 정지선을 넘어 3초 이상 정지했을 때
- 신호 교차로 내에서 20초 이상 통과하지 못한 때

🚗 멀리서 보면 예측하기가 쉽다!

■ 신호를 빨리 발견해 몇 번이고 상태를 확인한다.

신호 표시는 시간이 지남에 따라 바뀌게 되어 있다. 빨리 발견하고는 몇 번이고 살핀 다음 변하는 순서를 예측하도록 한다.

빨리 발견한다.

가까워지면서 몇 번이고 살핀다(변하는 순서를 예측한다).

여유 있게 대응할 수 있다.

■ 신호 변경 순서를 예측한 운전

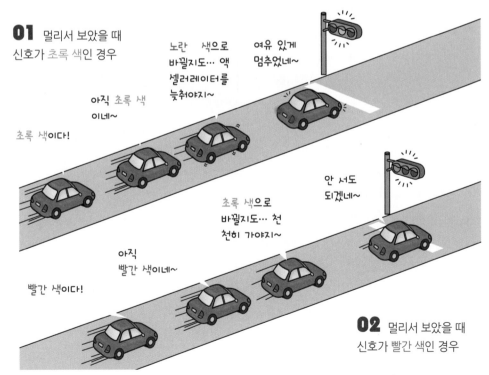

01 멀리서 보았을 때 신호가 초록 색인 경우

초록 색이다!

아직 초록 색이네~

노란 색으로 바뀔지도… 액셀러레이터를 늦춰야지~

여유 있게 멈추었네~

빨간 색이다!

아직 빨간 색이네~

초록 색으로 바뀔지도… 천천히 가야지~

안 서도 되겠네~

02 멀리서 보았을 때 신호가 빨간 색인 경우

🚗 교차로까지의 상황파악 방법

■ 필요한 정보를 신속히 파악한다.

교차로를 안전하게 지나가기 위해서는 신속하게 필요한 정보를 순서적으로, 반복해서 살피는 것이 중요하다.

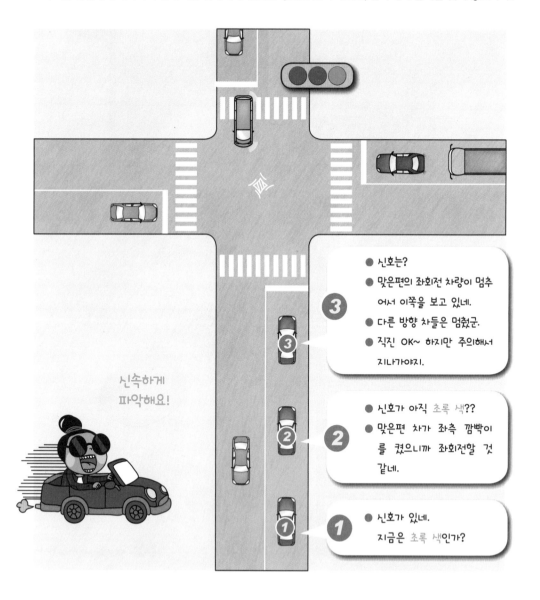

그것이 궁금하다!

하이패스(hi-pass)란?

과거엔 고속도로 체증의 가장 큰 원인 중 하나가 톨게이트에서의 통행료 정산이었습니다. 통행료를 결제하려면 서행하거나 잠시 정차해야 하는데, 자동차 수가 톨게이트의 처리 능력을 넘어서게 되면 정차 차량이 늘어나면서 병목현상이 일어나게 되죠. 만일 정차하지 않고도 정속주행 중에 통행료가 자동 결제되는 시스템이 있다면, 교통 체증은 자연스럽게 감소할 수밖에 없습니다. 그리하여 한국도로공사에선 톨게이트 통행료 결제 시스템 하이패스(hi-pass)를 도입하였는데요. 하이패스는 무선통신망을 이용해 주행상태의 차량에서 통행료를 결제하는 정산 시스템입니다. 운전자가 하이패스 카드를 단말기(차량에 부착)에 삽입한 채로 톨게이트의 하이패스 안테나를 지나게 되면 결제정보가 단말기에 기록되는 방식입니다.

하이패스로 톨게이트 통과하기

발급받은 하이패스 카드를 등록이 완료된 단말기에 장착했다면 이제부터 하이패스 차로를 이용할 수 있습니다. 먼저 톨게이트 진입 2km와 1km 지점에 설치된 안내표지판에 따라 차선을 변경합니다. 차로는 일반 차로, 하이패스 전용 차로, 혼용 차로로 구분되어 있습니다. 이 중 하이패스 전용 차로나 혼용 차로로 진입하면 됩니다. 하이패스 차로에는 청색 차선이 도색되어 있기 때문에 쉽게 구별할 수 있습니다. 이후 요금소 50m 앞부터 속도를 30km/h로 줄여서 통과하면 되는데요. 2010년 9월부로 실시된 하이패스 차로 속도제한은 감지기의 인식기능 문제가 아니라 사고예방과 위반방지를 위한 것입니다.

SECTION 07

직각 주차(T자 코스)

01 전진으로 진입하여, 후진으로 차고의 확인선을 뒷바퀴가 접촉하고 나서 주차브레이크를 작동하고 다시 해제한 후 전진으로 나오되, 주차코스를 벗어나기 전까지 검지선을 접촉하거나 차체가 주차구획선을 벗어나지 않고 통과

02 소요시간은 2분 이내

감점

-10

- 검지선을 접촉할 때마다
- 주차 브레이크를 1초 이상 당기지 않을 경우
- 진출입 지정 시간 2분 이상 초과할 때

그것이 궁금하다!

주차 조향 보조 시스템이란?

주차 조향 보조 시스템(Intelligent Parking Assist System)은 전. 후방 감지센서와 음성 안내로 스티어링 휠의 조작 없이 자동으로 주차를 도와주는 기능이며 현재 직각 주차, 평행 주차가 개발되어 있습니다. 주차 조향 보조 시스템 사용시 운전자는 변속기와 페달만 내에 따라 조작하기만 하면 됩니다.

우리나라에서는 주로 중형승용차 이상 차능이 제한적(평행주차만 가능, 상위 트림에로 적용되어있습니다.

🚗 방향 전환이란?

도로가 좁은 상황에서 곁길을 사용해 차량의 진행방향을 바꾸거나, 주차장 등에서 직각으로 후진해 진입하는 경우의 연습이다.
주의에 신경 쓰면서 신중하게 차를 조작하도록 한다.

🚗 좌측으로 후진하는 방향전환 방법

01 후진하기 쉬운 위치에 똑바로 세운다.

가능한 간격을 넓게 둔다.

바깥 타이어 간격(약 0.7m)만큼 공간을 둔다.

휠베이스보다 약간 더 앞으로 나간다.

후진할 장소를 잘 살핀다.

⚠ 앞쪽 공간이 한정된 경우(비스듬히 후진)

타이어를 똑바로 한다.

좌측 앞바퀴가 이 부근까지 오면 핸들을 우측으로 돌린다.

후진할 장소를 잘 살핀다.

가능한 좌측으로 붙어서 간다.

02 후진한다.

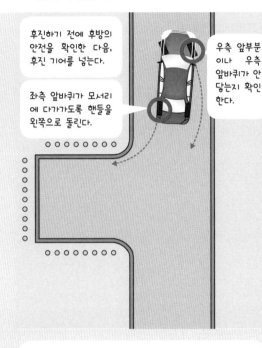

후진하기 전에 후방의 안전을 확인한 다음, 후진 기어를 넣는다.

좌측 앞바퀴가 모서리에 다가가도록 핸들을 왼쪽으로 돌린다.

우측 앞부분이나 우측 앞바퀴가 안 닿는지 확인한다.

03 들어갈 수 있는지 확인한다.

좌측 뒷바퀴가 안전하게 들어갈 수 있는지 확인한다.

우측 뒷부분이 안전하게 들어갈 수 있는지 확인한다.

04 핸들을 원위치시킨다.

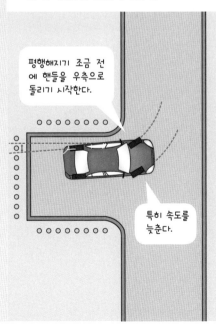

평행해지기 조금 전에 핸들을 우측으로 돌리기 시작한다.

특히 속도를 늦춘다.

05 자리를 잡는다.

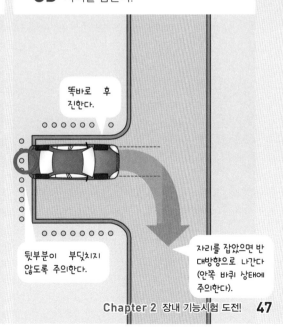

똑바로 후진한다.

뒷부분이 부딪치지 않도록 주의한다.

자리를 잡았으면 반대방향으로 나간다 (안쪽 바퀴 상태에 주의한다).

08 그 밖에 알아야 할 사항

속도 가속 구간

1 가속 코스 시작 지점 통과 후 시속 20km 이상의 속도를 유지하고 2단 또는 3단으로 기어변속을 하는지 여부

2 가속코스 종료지점 통과 전 시속 20km 미만의 속도로 감속하고 2단 또는 3단에서 1단 또는 2단으로 기어변속을 하고 주행하는지 여부

3 ①항 임에도 불구하고 자동변속기 자동차의 경우에는 시작지점부터 종료지점까지 시속 20km 이상의 속도를 유지하는지 여부

감점
-10

- 지정 속도에 따라 기어 변속을 못하는 경우
- 종료 지점 가까이 접근했을 때 저속 기어로 변환하지 못할 경우

종료 지점 통과 방법	**1** 종료시 전·후·좌·우의 교통상황을 확인하고, 우측방향지시등을 작동하면서 차를 도로 우측에 붙여 정지
	2 시험 종료 지점을 완전히 통과한 후, 이때 시험 종료 방송이 나오면 차량을 정지한 후 주차브레이크를 당긴 다음 시동을 끈다. 그리고 합격·불합격 판정을 받고 좌석 안전띠를 푼 다음 하차

감점

-10

• 종료 지점을 완전히 통과하지 못할 경우

종료시까지 최선을 다 합시다!

시험 종료 후 진행 절차	**1** 합격자
	통제실에서 응시표를 수령 ▶ 민원실에서 연습면허를 발급받고 ▶ 주행 연습을 한 후 ▶ 도로주행시험에 응시
	2 불합격자
	통제실에서 응시표를 받고 ▶ 기능시험 일정(3일 경과 후 응시 가능)을 지정받고 ▶ 다음 기능시험일에 응시

| 수험생
유념 사항 | **1** 사람을 다치게 하거나 시설물 등에 손상을 입힐 경우 당사자가 부담함과 동시에 실격처리됨 |

1 사람을 다치게 하거나 시설물 등에 손상을 입힐 경우 당사자가 부담함과 동시에 실격처리됨

2 자동차 고장 또는 사고 발생시 그리고 앞차로 인해 진행이 불가능한 경우 그 자리에 정지한 후 안전원들의 도움을 받아야 함

3 골든벨이 제공한 동영상 자동차와 시험장마다 자동차가 다를 수 있으므로 유념하시기 바랍니다.

그것이 궁금하다!

하이브리드(hybrid) 시스템이란?

하이브리드(hybrid)는 「혼성물」, 「복합」, 「다른 것을 서로 섞는다」는 의미로서 하이브리드 차란 복수의 동력원(일반적으로는 가솔린 엔진과 전기 모터)을 탑재한 자동차를 가리킵니다. 하이브리드 시스템은 자동차 메이커나 차종에 따라 다른 방식을 채용하고 있는데요. 모두 「에너지 효율의 향상」, 「소음·진동의 완화」, 「배출가스의 절감」을 목표로 개발된 것입니다.

하이브리드 차는 엔진과 모터 각각의 이점을 구분해 사용합니다. 예를 들면, 시리즈 하이브리드 방식과 같은 경우 발진할 때는 배터리 전력으로 모터를 돌려서 달리고 (엔진은 정지), 통상적인 주행을 할 때는 엔진과 모터를 나누어서 주행합니다. 또한 하이브리드 차는 액셀러레이터에서 발을 떼거나 브레이크를 걸면(감속할 때) 모터를 발전기로 작동시켜 에너지를 흡수하고 배터리에 충전하는 구조로 되어 있는데요. 기존 차량에서는 열로 버려지던 에너지를 전기로 변환해 재이용하는 것입니다.

전기 자동차란?

자동차의 구동 에너지를 기존의 자동차와 같이 화석 연료의 연소로부터가 아닌 전기에너지로부터 얻는 자동차입니다. 자동차에서의 배기가스가 전혀 없으며, 소음이 아주 작은 장점이 있습니다. 배터리의 무거운 중량, 충전에 걸리는 시간 등의 문제 때문에 실용화되지 못하다가 공해문제가 최근 심각해지면서 다시 개발이 되고 있습니다. 전기자동차는 엔진이 전기 모터로 대치된 것 외에 내연기관 자동차들과 약간씩의 차이가 있는데요. 배터리의 경량·소형화 및 짧은 충전시간은 전기자동차가 실용화되기 위한 필수적인 선결 조건입니다.

CHAPTER 3

연습면허 발급

- 연습운전면허란?
- 연습운전면허 취소처분 기준

01 연습운전면허란?

1

연습운전면허란?

• 연습운전면허란 기능시험에 합격한 자에게 도로주행을 연습할 수 있도록 허가한 면허증이다.

2

수수료

• 3,500원 (2018년 기준)

3

유효기간

• 발급일로부터 1년

• 연습면허 교환 발급 유효기간 산정안내 : 최초 1종 연습 면허 소지자가 2종 연습면허로 교환 발급을 요청할 경우 최초 발급한 연습면허 잔여 기간을 '유효기간'으로 한다.

🚗 어떻게 생겼을까?

연습운전면허증은 일반 운전면허증처럼 카드 형태로 발급되지는 않고, 응시표 우측 상단에 부착되는 형태로 받아볼 수 있다. 순서대로 면허 번호와 유효기간, 성명이 표시되어 있으며, 제일 아래 부분에는 발급된 지역 경찰청장의 인이 찍혀 있다.

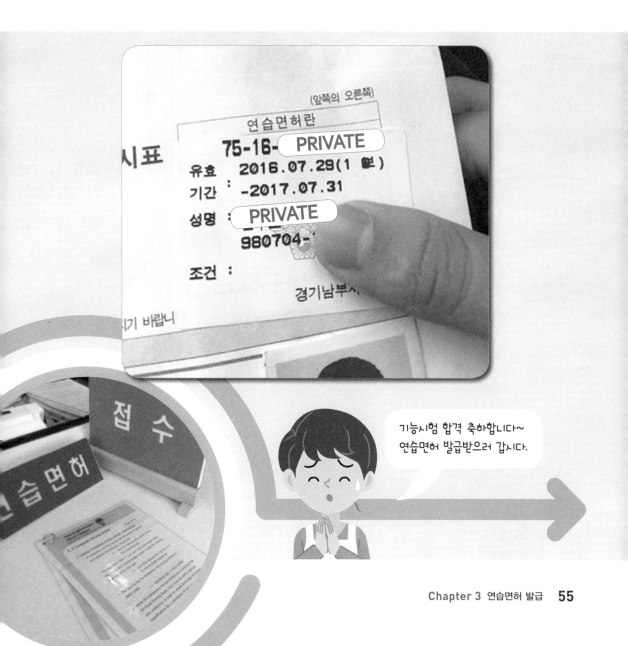

연습운전면허
취소처분 기준

연습운전면허 역시 운전자의 부주의 및 사고로 인해 취소처분이 가능하다. 다음에 나오는 취소처분 기준을 잘 파악하여 면허가 취소되는 불상사가 일어나지 않도록 하여야겠다.

음주관련

1 술에 취한 상태에서의 운전
● 술에 취한 상태의 기준(혈중 알코올농도 0.05% 이상)을 넘어서 운전한 때

2 술에 취한 상태에서 측정에 불응한 때
● 도로에서 자동차 등의 운행으로 인한 교통사고(다만, 물적 피해만 발생한 경우)

대여행위 다른 사람에게 연습운전면허증을 대여(도난, 분실 제외)할 수 없습니다. 다음과 같은 사항은 면허취소 사유가 됩니다.

● 다른 사람에게 연습운전면허증을 대여하여 운전하게 한 때

● 다른 사람의 면허증을 대여받거나 그 밖에 부정한 방법으로 입수한 면허증으로 운전한 때

신체적 결격사유

● 교통상의 위험과 장해를 일으킬 수 있는 정신질환자 또는 뇌전증환자로서 영 제42조제1항에 해당하는 사람

● 앞을 보지 못하는 사람, 듣지 못하는 사람(제1종 보통연습면허에 한함.)

● 양 팔의 팔꿈치 관절 이상을 잃은 사람 또는 양 팔을 전혀 쓸 수 없는 사람. 다만, 본인의 신체장애 정도에 적합하게 제작된 자동차를 이용하여 정상적으로 운전할 수 있는 경우에는 그렇지 않다.

● 다리, 머리, 척추 그 밖의 신체장애로 인하여 앉아 있을 수 없는 사람

● 교통상의 위험과 장해를 일으킬 수 있는 마약, 대마, 향정신성 의약품 또는 알코올 관련 중독 또는 장애로 인하여 정상적인 운전을 할 수 없다고 해당 분야 전문의가 인정하는 사람(시행령 제42조제3항)

① 약물을 사용한 상태에서 자동차 등을 운전한 때

● 약물(마약·대마·향정신성의약품 및 환각물질)의 투약·흡연·섭취·주사 등으로 정상적인 운전을 하지 못할 염려가 있는 상태에서 자동차 등을 운전한 때

② 허위·부정수단으로 연습운전면허를 취득한 경우

● 허위 또는 부정한 수단으로 연습운전면허를 받은 사실이 드러난 때

③ 자동차를 이용하여 범죄행위를 한 때

● 국가보안법을 위반한 범죄에 이용된 때
● 형법을 위반한 다음 범죄에 이용된 때
  - 살인, 사체유기 또는 방화
  - 강도, 강간 또는 강제추행
  - 약취·유괴 또는 감금
  - 상습절도(절취한 물건을 운반한 경우에 한함)
  - 교통방해(단체에 소속되거나 다수인에 포함되어 교통을 방해한 경우에 한함)

④ 다른 사람의 자동차 등을 훔치거나 빼앗은 때

● 다른 사람의 자동차 등을 훔치거나 빼앗아 이를 운전한 때

범죄 행위

5 **다른 사람을 위하여 운전면허 시험에 응시한 때**

● 다른 사람을 부정하게 합격시키기 위하여 운전면허 시험에 응시한 때

6 **단속 경찰공무원 등에 대한 폭행**

● 단속하는 경찰공무원 등 또는 시·군·구 공무원을 폭행한 때

7 **준수사항을 위반한 때**

● 연습운전면허로 운전할 수 없는 자동차 등을 운전한 때

● 연습차량의 해당 운전면허를 받은 날로부터 2년이 경과되지 않은 사람에게 지도를 받은 때(제55조 1호)

● 주행 연습중인 자동차에 규격이 맞는「주행연습」의 표지를 붙이지 않고 연습한 때(제55조 3호)

8 **이 법이나 이 법에 따른 명령을 위반한 때**

● 연습운전면허 유효기간 중 다음 사항을 3회 이상 위반한 때(별표 28 제3호 가목 중 제4호~제17호까지, 제17호의 2~3밀 제20호, 제31호까지 정리)

● 정차, 주차 위반에 대한 조치 불응 (경찰공무원으로부터 3회 이상 이동 명령에 따르지 않고 교통을 방해한 경우)

범죄 행위

- 공동 위험 행위로 형사 입건된 때
- 난폭 운전으로 형사 입건된 때
- 안전운전 의무 위반(경찰공무원으로부터 3회 이상 안전운전 지시에 따르지 않고 타인에게 위험과 장해를 주는 속도나 방법으로 운전한 경우)
- 승객의 차내 소란행위 방치 운전
- 출석 기간 또는 법칙금 납부기간 만료일로부터 60일이 경과될 때까지 즉결심판을 받지 아니한 때
- 통행구분 위반(중앙선 침범에 한함)
- 속도위반(40k/m 초과 60k/m이하)
- 철길건널목 통과 방법 위반
- 어린이 통학버스 특별보호 위반
- 어린이 통학버스 운전자의 의무 위반

교통사고

- 도로에서 자동차 등의 운행으로 인한 교통사고(다만, 물적 피해만 발생한 경우를 제외한다)를 일으킨 때

미등록 차량 운전

등록 또는 임시운행 허가를 받지 아니한 자동차 운전을 말합니다.
- 「자동차관리법」에 따라 등록되지 않거나 임시운행 허가를 받지 않은 자동차(이륜자동차를 제외함)를 운전한 때

그것이 궁금하다!

U턴은 어떻게 하나요?

U턴은 편도 3차선 이상의 도로에서만 가능합니다. 하지만 편도 3차선이라 해도 회전할 위치에 다른 차량이 주·정차되어 있다면, 가능한 한 그 위치를 피해서 회전하는 것이 현명합니다. 또 다른 방법으로는 오른쪽 차로를 이용하여 왼쪽을 넓게 확보한 후 회전하면 됩니다.

간혹 U턴 전용 신호등이 있는 곳도 있지만, 대개의 경우는 [좌회전시, 보행 신호시]라고 표지판에서 지시합니다. 가장 좋은 찬스는 보행 신호시 인데요. 중앙선이 끊어지고 흰색 점선으로 표시된 지점에서 핸들을 끝까지 감고 회전하면 3차선에 진입하게 됩니다. 완전히 회전한 후 차가 차선을 따라서 바르게 간다고 느껴질 때 서서히 가속 페달을 밟아봅시다. 3차로로 방향이 잡히면 행선지에 따라 차로를 바꿀 수도 있습니다.

❶ 핸들을 좌측으로 끝까지 감는다.
❷ 계속 끝까지 감고 회전한다.
❸ 핸들을 서서히 풀기 시작한다.
❹ 방향이 잡히면 가속페달을 밟는다.

비보호 좌회전은 어떻게 하나요?

비보호 좌회전이란 말 그대로 "좌회전 차량은 받을 신호도 따로 없고 보호받을 수도 없다."라는 뜻입니다. 하지만 비보호 좌회전이라는 것이 그렇게 막연한 것만은 아닌데요. 가로세로의 도로가 노폭이 같은 경우의 비보호 좌회전은 청색 신호시 맞은 편에서 직진 차량이 없을 때 하는 것으로 보행자에도 주의해야 합니다. 또 다른 경우는 현재 주행 중인 도로와 비보호 좌회전으로 진입할 도로의 노폭이 월등히 차이가 나는 경우입니다. 진입할 도로의 노폭이 좁다면, 적신호시에 그 좁은 도로에서 나오는 차량이나 보행자를 보호하면서 좌회전해야 합니다.

CHAPTER 4

도로주행 준비하기

- 도로주행 전 필독사항
- 시험 코스와 시험 내용
- 실격 기준과 그 외 사항

SECTION 01

도로주행 전 필독사항

1, 2종 보통면허

1 시험응시 준비물

- 시험 당일에 응시원서(연습면허 부착)

- 신분증 지참

2 합격 기준

- 100점 만점에 70점 이상 획득시 합격

3 수수료

- 25,000원 (2018년 기준)

도로주행시험
전과정
동영상

도로주행 전과정을 동영상으로 공부할 수 있습니다!

다음 QR코드를 스캔하여 동영상을 시청하세요.

QR코드 앱은
플레이마켓이나
애플 앱스토어에서
다운로드하세요.

1종보통

2종보통

1종 2종 통합 동영상!

운전면허 도로주행 시험

제작 (주)골든벨

시험 코스와 시험 내용

시험 코스

1 총 연장거리 5km 이상인 4개 코스 중 추첨을 통한 1개 코스로 선택하여 시험에 응시

2 내비게이션 음성으로 길 안내

무엇보다도 안전이 우선입니다!

시험 내용

1 긴급자동차 양보, 어린이 보호구역 통과, 지정속도 위반 등

2 안전운전에 필요한 57개 항목으로 평가

🚗 도로주행 코스의 예시 (대구 지역 운전면허 시험장)

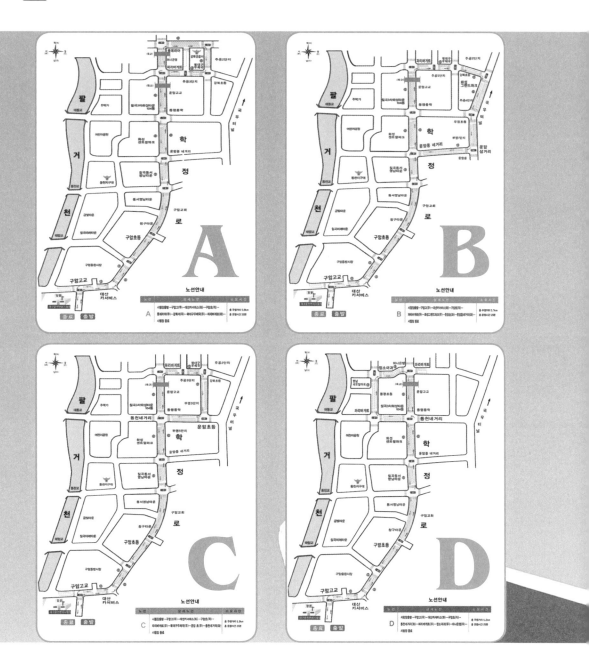

SECTION 03 실격 기준과 그 외 사항

다음 사항에 해당되는 경우는 실격 처리가 가능하다.

실격 기준

❶ 3회 이상 「출발 실수」「클러치 조작 불량으로 엔진 정지」「급브레이크 사용」「급조작 급출발」 또는 이런저런 사유로 운전능력이 현저히 부족하다고 판단되는 경우

❷ 안전거리 미확보, 경사로에서 뒤로 1m 이상 후진하였을 때, 교통사고를 야기한 경우 등

❸ 음주, 과로, 마약, 대마, 약물의 영향 및 휴대전화 사용 등 시험관의 지시 및 통제에 불응한 경우

❹ 도로의 중앙으로부터 우측 통행 의무를 위반한 경우

⑤ 신호 또는 지시를 위반한 경우

⑥ 보행자 보호의무 등을 소홀한 경우

⑦ 어린이 통학버스의 특별보호의무를 위반한 경우

⑧ 지정된 속도 구간을 10km/h 초과한 경우

⑨ 어린이 보호구역, 스쿨존, 노인 및 장애인 보호구역의
지정속도를 초과한 경우

⑩ 출발(출발지시)부터 종료(결과 판정)까지 안전띠를
착용하지 않는 경우

⑪ 긴급자동차 우선 통행시 일시 정지하거나 진로를 양보
하지 않을 경우

⑫ 중간 접수 합계가 합격 기준에 미달한 경우

인지할 사항 ▶

● 연습운전면허 기간(1년) 내에 도로주행시험에 합격해야 한다.

● 연습운전면허 기간이 지났을 경우 학과시험부터 재응시 해야 한다.

불합격시 재응시할 경우 ▶

● 도로주행시험 불합격자는 재응시일로부터 3일이 경과해야 시험에 응시할 수 있다.

그것이 궁금하다!

터널진입은 어떻게 하나요?

터널 진입시에는 전조등을 반드시 켜야 합니다. 터널 안에서 차로 변경은 절대 금물입니다. 터널 밖에 나오면 전조등을 꺼도 됩니다. 터널에서는 거리에 대한 원근감이 사라지고 멀리 떨어져 있는 상황이 보이지 않기 때문에 사고가났을 때 자칫하면 대형사고로 이어질 수도 있다. 아래의 4가지를 반드시 지켜 운전합시다.

❶ 진입시 전조등 켜기
❷ 충분한 안전거리 유지
❸ 경음기 사용 금지
❹ 추월 금지

빗길운전은 어떻게 하나요?

비가 올 때는 일단 와이퍼를 작동시키세요. 비가 내리는 양에 따라서 1단, 2단, 3단으로 속도를 조절하여 와이퍼를 작동시켜 시야를 밝게 해야 합니다. 비가 너무 많이 올 때는 전조등을 켜야 합니다. 서로 잘 보기 위함이죠. 그리고 안전거리를 평소보다 30% 이상 멀리 두어야 합니다. 앞차가 안 보여서 그 자리에 멈춘다면 뒤차와 추돌할 수도 있습니다. 주행속도와 방향을 최대한 유지하고 서행하세요.

CHAPTER

5

도로주행 도전!

SECTION 01 출발전 준비사항

수험생은 차량 주변 교통 흐름과 안전을 확인한 후 엉덩이와 허리는 의자 뒤쪽으로 완전히 밀착한 다음 운전석을 조종하고 후사경을 맞춘다.

🚗 안전한 승차 방법

01
주위가 안전한지 확인한다.

02
필요한 만큼만 도어를 연다.

03
도어를 잡고 신속하게 탑승한다.

04
도어를 조금 더 닫고 잠시 멈춘다.

05
도어를 확실하게 닫는다.

외부로부터의 침입을 방지하기 위해 반 도어 상태가 아닌지 확인한 다음 잠그도록 한다.

🚗 체인지 레버의 조작 포인트

정지 상태

브레이크를 밟
고 있을 것

눈으로 확인

주행 상태

얼굴은 앞쪽을
주시한다.

주행 중에는 미터
의 표시로 확인

자동 변속기 차량　좌석 안전띠를 매고 브레이크를 밟은 채 시동을 건다.

수동 변속기 차량　좌석 안전띠를 매고 클러치와 브레이크를 밟은 채 시동을 건다.

- 자동차 문이 제대로 닫혀 있지 않을 경우

- 자동차 주변 안전상태를 확인하지 않을 경우

SECTION 02 출발시 준수사항

01   출발시 주차 브레이크 해제 ⇨ 좌측 방향지시등을 켠 뒤 ⇨ 전 후 좌우 안전
을 확인하면서 출발

🚗 도로 운전의 기본

■ 도로운전에서는 「인지」「판단」「조작」이 필요하다.

🚗 정보 파악의 방법

■ 도로에서는 「언제」「무엇을」「어떻게」보느냐가 중요하다.

코스 도로

실제 도로

□ 소정의 코스와 실제 도로와의 정보량 차이

실제 도로에서는 지형은 물론이거니와 신호나 표지 등과 더불어 보행자나 다른 차량 등의 움직임에 따른 정보도 많아진다. 무심코 주변 정보를 놓치거나 잘못 보았다가 사고나 위반으로 이어지기도 한다. 「언제」「무엇을」「어떻게」보느냐를 연습하도록 한다.

감점 -10

- 주차 브레이크를 해제하지 않고 출발할 경우
- 기기 조작 미숙 등 20초간 출발하지 못한 경우

감점 -7

- 클러치 조작 미숙으로 엔진이 정지한 경우
- 급조작·급출발한 경우
- 시동이 꺼진 후 10초 내에 재시동을 못한 경우
- 불필요한 정지로 주변 교통에 방해를 준 경우

02 출발 후 정상적으로 차로에 진입이 되었으면 방향지시등을 끄고 진행

🚗 직선 주행방법

■ **진행방향과 자동차의 방향이 맞는지 확인한다.**

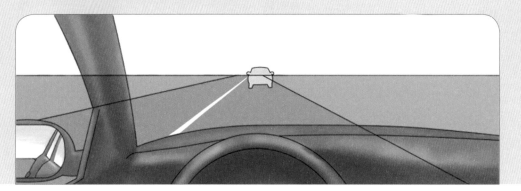

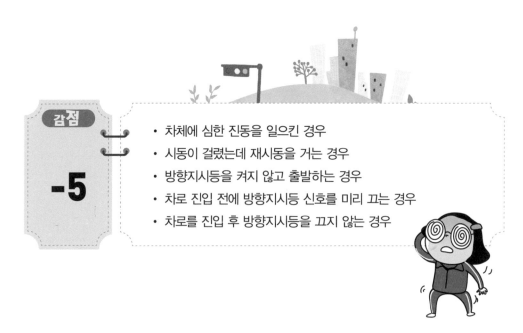

감점

-5

- 차체에 심한 진동을 일으킨 경우
- 시동이 걸렸는데 재시동을 거는 경우
- 방향지시등을 켜지 않고 출발하는 경우
- 차로 진입 전에 방향지시등 신호를 미리 끄는 경우
- 차로를 진입 후 방향지시등을 끄지 않는 경우

How to 근거리 보기 · 원거리 보기

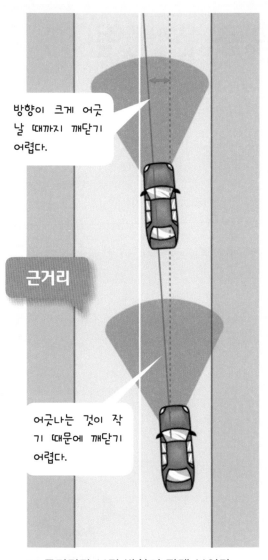

방향이 크게 어긋 날 때까지 깨닫기 어렵다.

근거리

어긋나는 것이 작 기 때문에 깨닫기 어렵다.

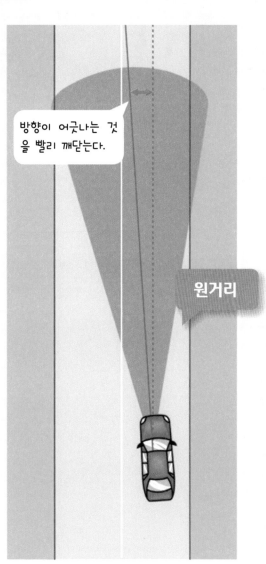

방향이 어긋나는 것 을 빨리 깨닫는다.

원거리

■ 근거리만 보면 방향이 작게 보인다.

■ 원거리를 보면 방향이 크게 보인다.

SECTION 03 주행중 운전방법

01 차로에 진입 후 지정된 속도 범위 내에서 주행

02 주변 교통 흐름에 맞추면서 앞차와의 안전거리 유지

03 주행중 차로를 벗어나지 말고 핸들에 손의 위치는 10시 10분 또는 9시 15분 방향으로 잡고 주행

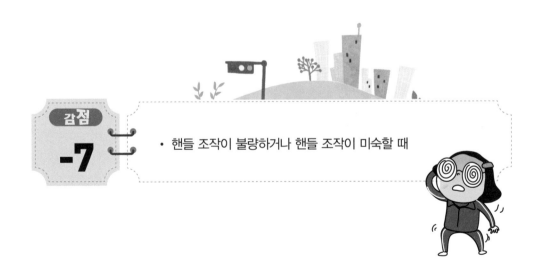

감점 -7

- 핸들 조작이 불량하거나 핸들 조작이 미숙할 때

🚗 교통 흐름에 자연스럽게 합류하는 방법

■ 교통 흐름을 방해하지 않는 타이밍 포착과 속도조절 방법을 익히도록 한다.

🚗 정보를 파악하기 쉽지 않은 차간거리

■ 차간거리가 짧으면 필요한 정보를 보기 어렵다.

앞차가 대형차인 경우, 전방 시야가 나빠지는 경우가 있다. 전방의 정보를 보기 쉽게 차간거리를 두도록 한다.

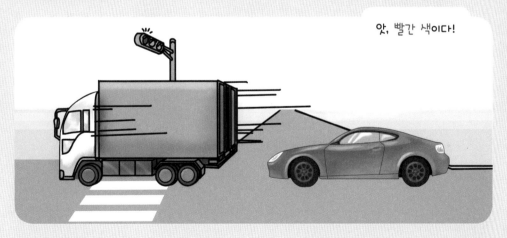

잡는 위치

잡는 방법

엄지는 핸들을
감싼다.

무릎이나 손목에
힘을 주지 말고
가볍게 잡는다.

어깨의 힘을
뺀다.

이 범위에서 자연스러운 위치를 잡는다.

■ 순간적인 상황에 대응하지 못하게 핸들을 잡거나 돌리는 것은 위험하다.

01
핸들을 안쪽에서 잡으면
조작하기가 어렵다.

02
한 손으로만 핸들을 조작
하지 않도록 한다.

그것이 궁금하다!

고속도로 용어가 궁금합니다!

TG, IC, JCT 등 고속도로에서 마주할 수 있는 용어들이 있는데요. 초보 운전자라면 이 용어를 몰라 우왕좌왕하게 될 수 있습니다. 각 용어의 뜻은 무엇인가요?

TG란 무엇인가요?

TG는 톨게이트(Toll Gate)의 줄임말로서, 고속도로를 비롯하여 다양한 유료 도로에서 이용요금을 징수하는 시설물을 뜻합니다. 고속도로 및 유료 도로에 진입하고 나올 때 이용하게 되며, 어떤 톨게이트에서 진입하고 어떤 톨게이트에서 나가는지에 따라 지불해야 할 금액이 달라지기에 금액 산출의 기준점이 되기도 하고, 그렇게 이용한 금액을 수납할 수 있는 시설이기도 합니다.

IC란 무엇인가요?

IC는 인터체인지(Interchange)의 줄임말로서, 고속도로 나들목이라는 이름으로 익숙하기도 합니다. 고속도로에 진입하고 나갈 수 있는 출입로로서 고속도로와 국도를 연결해주는 시설이라고 할 수 있습니다.

JCT란 무엇인가요?

JCT는 분기점이라는 용어로 불리기도 하는데요. 바로 고속도로와 고속도로를 연결해주는 시설로서 정션(Junction)의 약자입니다. A 고속도로에서 B 고속도로로 진입할 때 주로 이용하게 됩니다.

04 가속 및 속도 유지

주행이 시작된 후 주변 교통 흐름에 맞게 주행해야 한다.

🚗 목표속도에 맞게 기어를 변경한다.

■ 목표속도나 거리를 감안해 가속방법을 구분해서 사용한다.

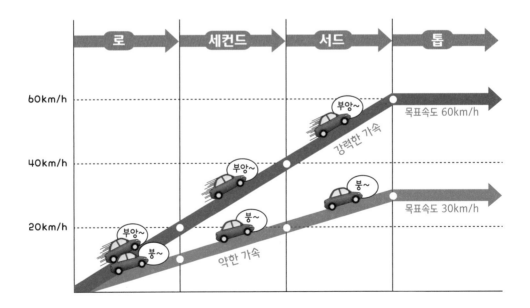

교통 흐름에 맞는 속도 파악

■ **도로상황에 맞춰 속도를 조절한다.**

제한속도 내라도 상황에 맞는 속도를 내지 않으면 주의에 위험이나 방해를 주는 경우가 있다.

필요 이상으로 신중함

사람이 많이 다님

감점

-5

• 교통 흐름에 맞지 않게 저속으로 주행할 경우

• 지정된 시간동안 속도를 유지 못할 때

• 엉뚱한 기어변속을 한 경우

05 브레이크 조작 방법

01 교통상황에 따라 제동이 필요한 경우 브레이크 페달에 미리 발을 올린 후 천천히 정지한다.

 ## 브레이크 페달의 움직임

브레이크 페달을 밟으면 바로 작동하는 것이 아니라 유격 부분이 있으므로, 브레이크가 듣기 시작하는 부분까지 밟아서 속도를 늦춘 다음 정지한다.

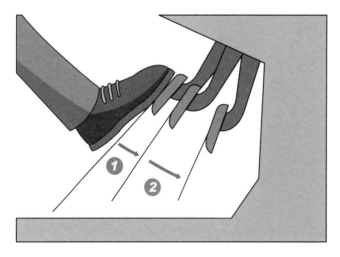

① 유격

밟아도 브레이크가 바로 작동하지 않는다.

② 작동영역

브레이크가 작동하기 시작한다. 이 부분에서 힘을 가감한다.

How to 정지하는 순서 – MT(수동변속기)

01 멈추려는 장소를 확인한다.

02 액셀러레이터 페달에서 발을 뗀다.

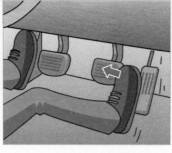

03 브레이크 페달을 밟는다.

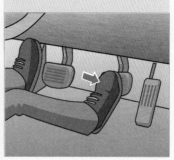

04 속도가 떨어지면 클러치 페달을 최대로 밟는다.

05 멈추려는 장소에 맞춰 브레이크 페달을 밟는다.

! 속도가 느릴 때는…

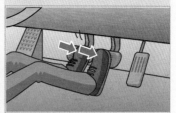

브레이크 페달을 밟는 동시에 클러치 페달을 밟는다.

02 차량이 멈춘 후 기어를 중립에 위치하고 브레이크를 밟은 상태 유지한다.

 핸드 브레이크(파킹 브레이크) 조작방법

버튼을 누르지 않고 최대한 당긴다.

경고등이 들어온다.

■ 풋 브레이크 방식의 경우

페달을 밟는다.

 핸드 브레이크(파킹 브레이크) 해제방법

① 당기면서 버튼을 누른다.
② 버튼을 누른 상태에서 최대한 내린다.

경고등이 꺼진다.

레버를 내린다. (풀림)

■ 풋 브레이크 방식의 경우

강하게 밟았다가 뗀다. (잠금)

감점

-7

• 급브레이크를 밟아 사람의 몸이 몹시 앞으로 쏠릴 경우

그것이 궁금하다!

차대번호란 무엇인가요?

차대번호가 무엇인지, 어디에 있는지 모르는 운전자들이 많습니다. 차대번호는 차량 고유의 번호로, 이를 알고 있으면 쉽고 간편하게 제조사와 제조국, 생산 연도 등을 확인 할 수 있으며 온라인 상에서 내 차의 상세정보를 조회해 볼 수도 있습니다. 차량식별번호(VIN: Vehicle Identification Number)라고도 부르는 차대번호는 제조사가 차량에 부착하는 차량 고유의 일련번호인데요. 사람으로 치면 주민등록번호라고 할 수 있습니다. 1981년 미국 도로교통안전국에 의해 표준화되어 현재는 전 세계 모든 차량에 차대번호가 있습니다. 차대번호의 위치는 제조사마다 차이가 있지만, 보통 창문에 붙은 라벨, 조수석 아래쪽, 운전석 대시보드, 운전석 문짝 등에서 찾을 수 있으니 한 번 찾아보세요.

감점

-5

- 미리 제동 준비를 않는 경우
- 차량 정지 상태에서 브레이크를 밟고 있지 않는 경우
- 수동차량 기어가 들어가 있으면서 클러치와 브레이크를 밟고 있는 경우
- 엔진 브레이크를 사용하지 않고 페달을 밟기 전에 클러치를 밟는 경우
- 차량이 정지하기 전에 미리 기어를 중립에 위치하고 주행하는 경우

SECTION
06 차체 감각 유지

01 우회전할 때 우측 안전을 확인 후 장애물과의 충분한 간격을 유지한 채 회전

02 앞차를 추월할 때 주변 안전을 확인한 후 진행

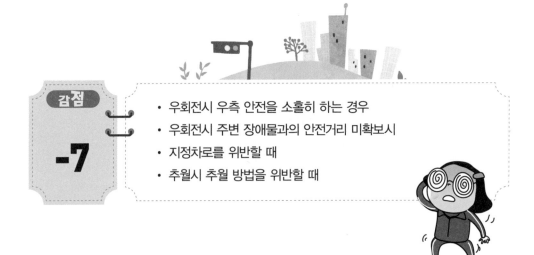

감점

-7

- 우회전시 우측 안전을 소홀히 하는 경우
- 우회전시 주변 장애물과의 안전거리 미확보시
- 지정차로를 위반할 때
- 추월시 추월 방법을 위반할 때

우회전할 때 주의할 사항

● 후방의 2륜차 접근에 주의

2륜차가 사이에 들어오지 않게
우측으로 붙는다.

사이드 미러나 눈으로 확인한다.

● 맞은편 좌회전 차량의 움직임

맞은편 좌회전 차량의
모습에 주의한다.

● 사각의 보행자

뛰어 들어오려는 보행
자에게 주의한다.

차선 변경 방법

01 차선 변경하기 전에 주변 차량 안전을 확인한 후 30m 앞쪽부터 방향지시등을 점등

02 그런 후 다시 안전을 확인 후 정상적으로 차선에 진입하여 방향지시등을 끄고 진행

 인지

 버스가 정차해 있을 경우

버스가 정류장에 멈춰 있다.

버스가 움직일지도 모른다.

③ 조작

움직일 것 같으면 기다린다.

아직 움직이지 않을 것 같으면 신속하게 차선을 변경한다.

대기
· 버스에 너무 접근하지 않는다.
· 똑바로 멈춰서 대기한다.

승하차가 끝난 것 같네.

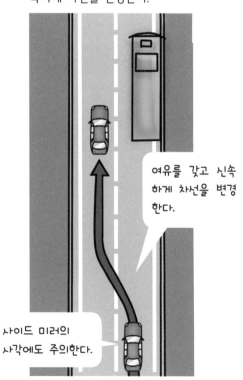

여유를 갖고 신속하게 차선을 변경한다.

사이드 미러의 사각에도 주의한다.

감점

-10

- 안전확인을 소홀히 한 채 차선 변경을 한 경우(유턴 포함)

감점

-7

- 방향지시등을 켜지 않는 경우
- 30m 전방에서 켜지 않는 경우
- 차선 변경이 되지 않은 상태에서 미리 방향지시등을 끄는 경우
- 차선 변경이 끝났어도 계속 방향지시등 켜 놓은 경우
- 안전을 확인했지만 주변 차량 배려없이 갑자기 진로를 변경한 경우
- 교차로, 횡단보도, 실선 등 금지 장소에서 차선 변경한 경우
- 운전미숙으로 미처 차선 변경을 못해 뒷차에 방해된 경우

그것이 궁금하다!

자동차 보험이란 무엇인가요?

자동차 사고에 대비하기 위한 보험을 말합니다. 우리나라는 자동차 구입을 하면 의무적으로 가입하게 되어 있는데요. 이를 어길 시 과태료를 부과하게 되어 있습니다. 교통사고는 물론, 본인이 차량을 운전하다 차량이 파손되거나, 혹은 다른 기물을 파손하게 될 경우도 보장받을 수 있습니다. 또한 가입자의 나이가 어릴수록 보험료가 비싸지게 되는데요. 면허를 갓 취득한 만 19세와 베테랑 40대 후반의 보험료를 비교하면 같은 조건에서 크게 차이가 납니다. 나이가 어릴수록 사고 위험이 높기 때문입니다.

운전자 보험이란 무엇인가요?

사고 발생시 보상의 주체가 차량이냐 운전자이냐의 차이입니다. 운전을 하며 발생하는 의료비나 법률비용, 벌금 등을 보상해주는데요, 자동차 보험에서도 특약 형태로 가입이 가능합니다. 그러므로 각각 보험료를 비교하여 저렴한 쪽을 선택하면 됩니다.

할인할증제도란?

자동차보험 할인할증제도는 자동차보험 계약자에게 교통사고가 발생하지 않는 경우 보험료를 할인해주고, 사고가 발생한 경우에는 보험료를 할증함으로써 운전자의 안전운전을 유도함과 동시에 자동차보험료 인하효과를 도모하기 위한 제도입니다. 자동차보험 최초가입시 11Z 등급을 부여하고 무사고시 1등급씩 할인하거나 사고 시에는 사고점수에 따라 할증등급 적용되며 보험회사별로 자사실적에 따라 등급별 할인할증률을 결정합니다.

SECTION 08 교차로 통과 방법

01 교차로 진입하기 전에 신호와 주변 차량들을 확인하면서 교차로에 진입

02 응시자 차량이 정지선을 통과하기 전에 신호가 바뀌면 정지선 앞에 차량을 정지

감점 -10

- 이때 지정된 서행장소에서 서행하지 않은 때
- 교통 요원이 없는 교차로에서 서행하지 않은 때
- 일시 정지를 해야 하는 횡단보도나 지정된 일시정지 표지판이 있는 장소에서 행하지 않은 때

감점 -7

- 교차로 좌우회전 이전에 미리 서행하지 않고 진입할 때
- 교차로 주변 좌우회전을 위해 신호를 주고 있는 차량을 방해한 때
- 꼬리물기 : 주변 상황을 무시하고 자기만 가겠다는 몰지각한 행위를 할 때
- 신호없는 교차로에서 이미 진입한 차량에 대해 방해를 하는 경우

03 정지선을 통과하자마자 신호가 바뀌면 교통 방해에 지장이 없을 경우 신속하게 교차로를 통과

교차로까지의 상황파악 방법

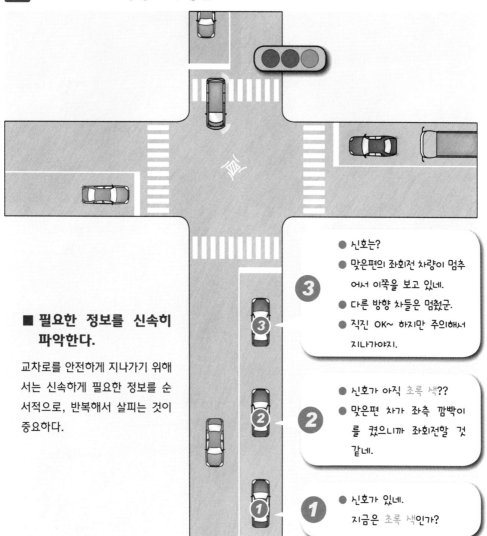

■ **필요한 정보를 신속히 파악한다.**

교차로를 안전하게 지나가기 위해서는 신속하게 필요한 정보를 순서적으로, 반복해서 살피는 것이 중요하다.

3
- 신호는?
- 맞은편의 좌회전 차량이 멈추어서 이쪽을 보고 있네.
- 다른 방향 차들은 멈췄군.
- 직진 OK~ 하지만 주의해서 지나가야지.

2
- 신호가 아직 초록 색??
- 맞은편 차가 좌측 깜빡이를 켰으니까 좌회전할 것 같네.

1
- 신호가 있네. 지금은 초록 색인가?

09 시험 종료

수동 차량
1 기어 중립 **2** 주차브레이크 당기고 **3** 시동 끔
4 기어를 1단 또는 후진에 놓고 **5** 하차

자동 차량
1 기어를 P에 **2** 주차브레이크를 당기고 **3** 시동을 끔
4 하차

감점

-5

• 시동을 끄지 않고 하차하는 경우
• 주차브레이크를 당기지 않은 채 하차하는 경우
• 주차 확인 기어를 넣지 않고 하차하는 경우

How to **안전한 하차 방법**

03
도어를 잡고 신속하게 하차한다.

02
특히 후방에 주의하면서 도어를 조금 연다.

후방차량에 대한
신호 역할을 한다.

01
주위가 안전한지 확인한다.

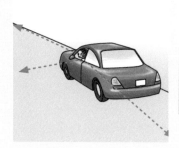

방범을 위해..
도어를 잠근 다음 확인까지 한다.

05
도어를 확실하게 닫는다.

쿵!

04
도어를 조금 닫고 잠시 멈춘다.

10cm정도

10 본 면허 발급 안내

1·2종 보통면허

- 연습면허 취득 후 도로주행시험(운전전문학원 수료자 는 도로주행 검정)에 합격한 자에 대하여 면허증 발급

구비할 서류

- 최종 합격한 응시원서

- 합격 안내서

- 수수료 7,500원 (2018년 기준)

- 6개월 이내 촬영한 칼라사진 3.5×4.5cm(3×4cm 가능) 1매

- 신분증 (대리일 경우 대리인 신분증, 본인 신분증 및 본인 의 위임장 첨부)

그것이 궁금하다!

면허증을 발급받은 후 일정기간이 지나면, 면허 종류에 따라 적성검사를 받거나 면허 갱신을 해야합니다.

적성검사란?

제1종 운전면허 소지자가 일정기간 마다 적성검사를 통해 운전 가능 여부를 확인받는 것으로서, 2011.12.9이후 운전면허를 신규취득하거나 적성검사를 받은 사람은 시험합격 또는 검사를 받은 날 부터 10년이 되는 날이 속하는 해의 1.1~12.31에 적성검사를 받아야 합니다.

면허 갱신이란?

제2종 운전면허 소지자가 일정기간 마다 운전면허증을 갱신하는 것으로서, 2011.12.9이후 운전면허를 신규취득하거나 갱신을 받은 사람은 시험합격 또는 갱신을 받은 날부터 10년이 되는 날이 속하는 해의 1.1~12.31에 운전면허증을 갱신해야 합니다.

어떻게 하나요?

제1종 운전면허의 경우 운전면허증, 6개월 이내에 촬영한 칼라 사진 2매와 적성검사 신청서(면허시험장, 경찰서, 병원 비치) 그리고 수수료를 준비하신후 가까운 면허시험장에 방문하시면 됩니다. 강릉과 태백 면허시험장 내에는 신체검사장이 없으므로 가까운 병원에서 신체검사를 받으세요. 제2종 운전면허의 경우 운전면허증과 칼라 사진 2매, 수수료를 준비하신 후 온라인을 통해 갱신을 접수하시면 됩니다.

운전면허 적성검사 안내
· 운전면허 적성검사는 기간 내
아니하면 과태료가 부과되며,
1년 초과 시 운전면허가 취소
도로교통공단 콜센터 1577-

상황별 운전하기

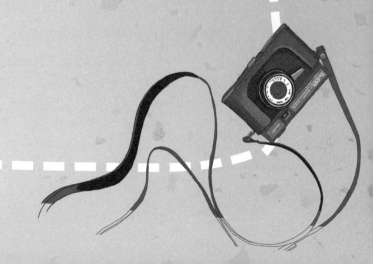

상황별 운전하기

🚌 야간 운전하기

야간에는 낮에 비해 보행자와 다른 차들이 잘 보이지 않을 뿐더러 늦게 발견될 수 있기 때문에 위험성도 더 높다. 밤 늦은 시간일 경우 과속 차량이나 술에 취한 보행자가 있을 수도 있기 때문에 더욱더 신중한 운전을 해야한다.

1. 전조등과 시야

1) 전조등 범위

가로등이 없는 도로에서는 전조등이 비추는 범위 밖에 보이지 않는다. 전조등 빛의 밝기는 상향으로 비출 때 100m, 하향으로 비출 때 40m 정도까지 전방에 있는 장애물을 확인할 수 있다. 그러므로 이 범위 내에서 차량이 정지할 수 있는 속도로 주행해야 한다.

같은 도로라도 야간에는 낮보다 속도를 조금 더 낮추고 안전거리를 더 두어 운전하는 습관을 갖는게 중요하다.

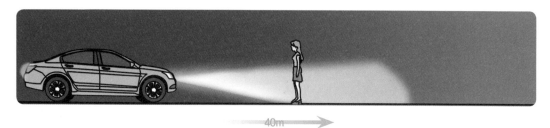

2) 색깔에 따라 사물의 식별이 어려움

 야간에는 어두운 계통의 옷을 입고 있는 보행자나 자전거를 타고 있는 사람은 잘 보이지 않는다.

3) 마주오는 차량의 라이트와 현혹眩惑, blinding

　야간에 마주오는 차량의 라이트를 직접 보게 되면 눈이 부셔서 한 순간 사물이 보이지 않게 되는 경우가 있는데, 이것을 현혹이라고 한다. 현혹된 눈이 정상 시력으로 회복하기 까지는 적어도 몇 초가 지나야 한다. 현혹된 상태에서 차를 운전하는 일은 눈을 감고 운전하는 것과 같아서 상당히 위험하다.

　마주 오는 차량의 라이트가 눈이 부실 때는 눈길을 약간 우측 전방 쪽으로 돌려주는 등 눈앞이 캄캄해지지 않도록 한다. 또한 다른 차와 교차할 때는 미리 전조등을 하향으로 바꿔서 상대방이 눈부시지 않게 해야 한다.

4) 증발蒸發현상

　야간 운전 중에는 내 차 라이트와 마주 오는 차의 라이트가 겹치는 순간에 도로 중앙 부근의 보행자나 자전거가 보이지 않는 경우가 있는데, 이것을 증발현상이라고 한다. 증발

현상은 어두운 도로에서 특히 일어나기 쉽기 때문에 주의해야 한다.

　또한 야간에 비가 내리면 라이트의 빛이 젖은 노면에 반사가 되어 잘 안보이므로 전방에 주의를 기울이고 속도를 낮춰 운전하도록 한다.

5) 야간 운전과 거리감각

    야간에는 앞차나 마주 오는 차까지의 거리를 앞차는 미등, 마주 오는 차량은 전조등 위치와 밝기로 판단하게 된다.

    대형차는 전조등과 미등의 장착 위치가 보통 차에 비해 높게 달려 있기 때문에 앞에서 주행하는 대형차나 마주 오는 대형차까지의 거리를 실제보다 멀다고 판단하기 쉽다.

    또한 오토바이^{2륜}는 차량^{4륜}에 비해 전조등이 어둡기 때문에 마주 오는 오토바이를 보지 못하거나 실제 위치보다 멀게 판단하기 쉬우므로 주의해야 한다.

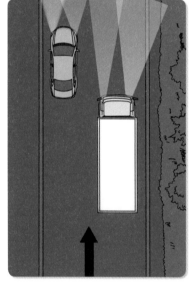

⚠️ 커브 길을 돌 때 주의할 점
커브 길에서는 전조등이 비추는 방향이 진로에서 벗어나기 때문에 커브를 다 돌 때까지는 속도를 낮춰서 운전해야 한다.

2. 도로 조명 등의 영향

1) 도로 옆 상가 등의 조명에 주의

　도로 조명시설 정비와 더불어 밤늦게까지 영업하는 편의점이나 가게 등이 늘어나고 있다. 특히 도심 한복판에서는 야간에 밝은 장소도 많지만, 가게가 드문 장소에서는 주차된 차량이나 보행자가 잘 안 보이기 때문에 더욱더 주의가 필요하다.

　또한, 이런 도로변 가게 불빛에 현혹되어 가게를 보느라고 고개를 돌리거나 하면 아주 위험하다. 야간에 부득이하게 도로에 차를 정차해야 할 경우는 추돌을 방지하기 위해 가능한 밝은 장소에 차를 정차하도록 하고 주차등이나 비상점멸등을 켜두어야 한다.

2) 과속 차량이나 주취자 주의

  야간에는 주간에 비해 도로가 한가롭기 때문에 과속 및 고속으로 주행하는 차량들이 많다. 그리고 간혹 술에 취한 보행자나 자전거로 도로를 무단 횡단하는 경우가 많기 때문에 안전 운전에 신경을 쓰도록 하고, 교통 사고가 발생되지 않도록제 2차 사고 상당한 주의를 요구하게 된다. 상대적으로 야간운전은 낮보다 피로가 빨리오게 찾아오게 되는 것이다.

🚌 반드시 라이트를 켜야 하는 경우

1. 야간에 도로를 지나갈 때

야간에는 시야 확보가 최우선이어야 한다. 밤에 전조등을 켜주게 되면, 진행 방향의 길을 밝혀주기도 하지만 다른 차량들에게 나의 존재를 알려주는 큰 역할도 한다. 낮이라 하더라도 터널 속이나 짙은 안개가 껴서 50m ^{고속도로에서는 200m} 앞이 잘 보이지 않는 장소를 지나갈 때도 점등하도록 하자.

또한 최근에 출시되는 차량들은 전조등이 자동으로 켜지게 하는 Auto Mode라는 기능을 탑재하고 있다. 하지만 Auto Mode로 해도 빛을 감지하는 센서가 고장나거나 Off 상태로 놓을 경우 그 기능을 제대로 발휘하지 못하는 경우가 있으니 차량 출발 전에 꼭 확인을 하도록 하자.

2. 야간에 도로 주정차할 때

　야간에 어쩔 수 없이 자동차^{대형 자동2륜차, 보통 자동2륜차 및 소형 특수자동차를 제외}를 도로에 주정차해야 할 때는 비상등과 미등을 켜두도록 한다. 낮에도 터널 속이나 안개 등으로 50m 앞이 잘 보이지 않는 곳에 주정차할 때도 마찬가지이다. 그러나 도로조명 등에 의해 50m 후방에서도 잘 보이는 장소에 주정차할 경우와 야간에도 점등되는 삼각대를 뒤에 설치를 할 경우에는 예외가 된다.

　야간에 고속도로에서 갓길에 주정차할 경우에는 비상등과 미등을 켜두는 것 외에 삼각대를 차량 후방에 두어야 한다. 주정차하고 있다는 것을 다른 차가 쉽게 알지 못하면 제 2차적 사고가 발생될 수 있기 때문이다.

🚌 점등제한 외

1. 실내등의 점등 제한

버스 외에는 주행 중에 자동차 실내등을 켜놓지 않는 것이 좋다. 실내등이 점등이 될 경우 앞유리에 반사가 되어 앞을 구별 못할 수가 있다.

2. 마주오는 차와 교차할 때의 전조등 조작법과 눈부심현혹을 막아주는 장치

❶ 야간 운전 시 마주오는 차와 교차하기 전에 먼저 전조등을 상향등에서 하향으로 바꿔줘야 한다. 다른 차를 뒤에서 따라갈 때도 마찬가지이다.

❷ 교통량이 많은 시내 도로에서는 항상 전조등을 하향으로 두고 운전하도록 한다. 또한 마주오는 차의 라이트로 인해 눈부실 때는 눈길을 약간 전방우측으로 돌려 눈이 침침해지지 않도록 하는 것이 좋다. 후속 차량이 전조등을 상향으로 켜면 앞차 운전자는 룸미러로 반사되는 불빛으로 인해 운전에 방해를 받게 된다.

3. 시야 확보가 안 좋은 교차로에서의 전조등 조작법

　시야 확보가 나쁜 교차로나 커브 직전에서는 앞 차가 없을 경우 전조등을 상향등, 하향등 상태 또는 패싱라이트를 이용하여 자신의 존재를 상대방에게 알린다.

　여기서 말하는 패싱라이트는 전조등 스위치를 몸쪽으로 당기고 놓고를 반복하는 것을 말한다. 그러면 전조등이 깜빡 깜박이게 되어 다른 차량이나 보행자에게 내 차가 교차로에 접근을 하니 양보 또는 조심하라는 의미로 해석을 할 수 있다.

🚌 비가 올 때 운전하기

　비가 내리면 시야가 나빠지고, 노면 역시 빗물로 인해 차선이
보이지 않으며, 미끄러지기 쉽다. 앞 유리창에 빗물로 인해 심지
어 보행자를 미처 발견하지 못할 수도 있고, 보행자가 쓴 우산
때문에 시야가 방해가 될 수도 있다. 그리고 차가 다가오는 것
을 모르는 등, 모든 악조건이 겹쳐 있으므로 신중하게 운전할
수 있도록 주의해야 한다.

1. 시야

1) 와이퍼

비가 오는 날의 시야는 와이퍼 작동 범위 내로 좁아져서 주위에 대한 상황 판단을 하기 어렵다. 와이퍼 작동이 불량하면 시야는 나빠질 것이다. 특히 장마철 전에 정비해 둘 필요가 있다.

2) 앞 유리창의 성에 방지

비가 오는 날에는 유리창이 쉽게 흐려지기 때문에 에어컨이나 김서림 제거 장치를 작동시키며, 김서림 방지용 스프레이를 사용하기도 하고, 천으로 잘 닦아서 시야를 확보하는 것이 중요하다.

3) 라이트 사용

비로 인해 시야가 나빠졌을 때는 낮에도 라이트를 켜두도록 한다. 특히 고속도로에서는 바람에 날려 오는 빗물로 인해 주변상황을 확인하기 힘들기 때문에 라이트를 켜서 자기 차량의 존재를 알리는 것도 좋다.

TIP

에어컨을 사용한 김서림 제거 방법

앞 유리창에 김서림은 실내가 따뜻하고 습한 공기가 유리와 접촉하면서 급속하게 식으며 발생하는 현상이다. 이를 해결하기 위해서는

❶ 바람 방향 스위치를 김서림 제거 위치에 둔다.
❷ 외부 공기 순환 모드로 바꾼다.
❸ 풍량 스위치를 켠다.
❹ 온도 조절 레버로 실외 온도보다 낮춘다.
❺ 에어컨 스위치를 작동시킨다.

또한 유리창을 깨끗하게 닦아 두면 김이 잘 서리지 않으며, 서리더라도 빨리 제거할 수 있기 때문에 평소에도 유리창 안쪽은 깨끗하게 닦아 두도록 하자.

2. 미끄러지기 쉬운 노면

1) 속도를 낮춰 안전거리를 확보

비가 올 때는 노면이 미끄러지기 쉽고 속도가 높을수록 정지거리도 길어지기 때문에 맑은 날보다 속도를 줄이고 안전거리를 더 확보하여 운전하도록 한다.

2) 급발진, 급핸들 조작 및 급브레이크에 주의

비가 오는 날에는 급발진, 급핸들, 급브레이크 조작을 하면, 옆으로 미끄러지기^{횡슬립} 쉽기 때문에 특히 주의해야 한다. 브레이크는 엔진 브레이크를 사용하거나 브레이크를 몇 번에 나눠서 밟는 것이 좋다.

3) 하이드로플래닝 현상 _{수막현상}

노면이 물로 덮여 있을 때에 고속으로 달리게 되면 타이어가 마치 수상스키처럼 물표면 위를 활주하는 경우가 있다. 이것을 하이드로플래닝^{hydroplaning} 현상이라고 하는데, 이 상태가 되면 핸들이나 브레이크가 잘 듣지 않기 때문에 상당히 위험하다. 비가 올 때는 속도를 낮춰 주행하는 것이 좋다.

4) 레일, 철판 등에 주의

❶ 노면과 레일이 젖어 있을 때는 타이어가 레일 쪽으로 가능한 직각에 가깝도록 신속하게 통과하는 것이 좋다.
❷ 공사현장의 철판, 맨홀 등이 젖어 있을 경우에는 미끄러지기 쉽기 때문에 그 위에서 급브레이크를 밟는 일이 없도록 미리 속도를 낮춘 상태로 통과하는 것이 좋다.

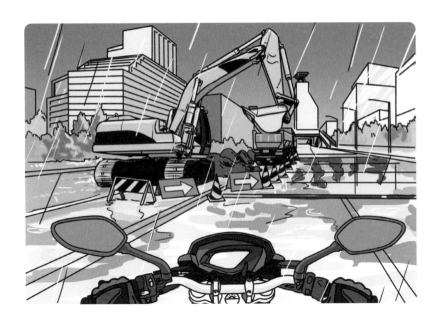

5) 깊은 물웅덩이 주의

물이 많이 고여 있는 곳물웅덩이 외을 통과하게 되면 핸들이 좌우로 흔들리거나 브레이크가 잘 듣지 않기 때문에 가능한 이런 곳은 되도록 피해서 지나가는 것이 좋다.

3. 우천 시 보행자에 대한 배려

　보행자나 자전거를 타는 사람들에게 비가 오는 것
은 운전자가 느끼는 이상으로 싫을 수도 있다. 보행자
나 자전거 옆을 지나갈 때는 흙이나 물이 튀기지 않도
록 최대한 속도를 낮추는 등 상대방을 배려하는 운전
을 하는 습관을 길들이자.

🚌 안개 낀 날의 운전

안개가 낀 날에는 시야가 나쁘기 때문에 전조등이나 안개등^{포그 램프}을 켜거나 경음기를 사용하면서 내 차가 존재하는 것을 상대방에게 인지시키는 노력이 매우 중요하며, 속도를 낮추고 신중하게 운전을 한다.

1. 전조등의 사용

안개가 낀 날에는 출발 전 전조등과 안개등을 켜고 중앙선이나 가드레일, 앞차의 미등을 기준으로 삼고 충분하게 안전거리를 확보하면서 속도를 낮추고 운전하도록 한다. 전조등을 상향으로 두면 안개에 반사되어 시야가 나빠질 수 있으므로 전조등은 하향으로 하는 것이 좋다.

2. 경음기 사용

위험 방지를 예상하기 위해 필요한 때는 경음기를 사용하도록 한다. 4륜차의 경우는 창문을 열고 소리를 듣는 등 다른 차의 움직임을 확인하는 것이 바람직하다.

🚌 눈길 운전

눈이 내리고 있을 때는 시야가 나쁘고 도로에 눈이 쌓이면서 상당히 미끄러지기 쉽기 때문에 속도를 낮추고 안전거리를 충분하게 확보한 상태에서 주행할 필요가 있다. 얼어붙은 도로를 주행할 때는 더 세심한 주의가 필요하다.

1. 나빠지는 시야

눈이 내리고 있을 때는 시야가 나빠져 앞이 잘 보이지 않는다. 또한 날씨가 맑아도 바람이 강할 때는 쌓인 눈가루가 날아오르면서 갑자기 앞이 안 보이는 경우가 있으므로 주의가 필요하다. 심지어 제설로 인해 눈이 높게 쌓여 있는 곳에서는 뒤쪽에서 보행자 등이 뛰

어들어올 수가 있으므로 세심한 주의가 필요하다.

2. 스노 체인, 스노타이어, 스터드리스 타이어Studless Tire 사용

눈길이나 결빙된 도로에서는 가능한 스노 체인이나 스노타이어 등을 사용하도록 한다. 스노 체인은 예전부터 사용하던 금속제 체인과 고무나 우레탄 성분 등의 비금속 체인이 있다. 스노 체인은 구동바퀴에 장착하며, 체인 사용은 탈장착 시 도로 갓길이나 부득이 할 경우 우측에 붙여서 하도록 한다.

그리고, 스터드리스 타이어는 스파이크 타이어를 대신할 수 있는 눈길 얼음용 타이어로 개발되었기 때문에 모든 바퀴에 사용할 수 있다. 하지만 스파크 타이어는 타이어 표면에 돌출된 스파크로 인해 노면 손상이나 분진의 원인이 되기 때문에 눈길이나 빙판길 외에 는 사용하지 않도록 한다.

3. 옆으로 미끄러지는 상황에 주의

눈길이나 빙판길에서는 횡슬립橫 slip 등에 의한 위험이 많이 발생하기 때문에 신중한 운전이 필요하다. 급발진, 급핸들 및 급브레이크 조작은 횡슬립을 일으키는 원인이 되기 때문에 절대로 피해야 한다.

브레이크는 차가 직진 상태로 달릴 때만 사용하도록 하고, 좌우로 굽은 길이나 커브 길 직전에서는 먼저 속도를 줄이고, 적당한 기어로 주행하거나 엔진 브레이크를 걸면서 운전하도록 한다. 운전 중에는 저속으로 일정하게 유지하면서 주행하는 것이 좋다. 정지할 때는 엔진 브레이크를 사용해 충분히 감속한 다음 브레이크 페달을 몇 번에 걸쳐 나눠서 밟도록 한다.

TIP

❶ 엔진브레이크란?
브레이크 고장 시 긴 내리막길, 눈길, 빗길을 지날 때 풋브레이크만 밟으면 브레이크 패드가 과열(페이드 현상)되거나 스펀지 밟은 느낌(베이퍼록 현상)을 받을 때 위험한 순간을 맞는다.
이때 주행속도 보다 낮은 기어 변속을 통해 제동력을 얻는 것을 뜻한다.

❷ 엔진브레이크 방법
- 기어 변속을 「6→5→4→3→2→1단」 순서대로 하단으로 변속시킨다.
- 오토 차량일 경우 「D(+, −)」 위치에 '−' 표시 방향으로 쳐주게 되면 엔진으로부터 '웅~' 소리와 함께 RPM 게이지가 갑자기 올라가면서 주행 속도가 줄어듦을 알 수 있다.
- 「O/D」 버튼이 있는 차량은 누르면 된다.

❸ 주의
이때 기어를 급속(예, 3→1단)하게 하향 변속시키면 over running 현상이 일어나 엔진에 무리를 줄 수도 있다.

4. 궤적 주행

눈길에서는 가능한한 앞 차량의 궤적을 따라 주행하는 것이 좋다. 또한 눈이 많은 도로에서 다른 차와 교차할 때는 차선 구분이 어렵기 때문에 중앙선 쪽으로 너무 붙지 않도록 주의하도록 한다.

TIP

❶ 출발하려는데 미끄러질 경우
타이어가 미끄러지면서 출발이 되지 않을 때는 모래. 매트, 나뭇가지 등을 구동바퀴 앞에 깔아서 미끄러짐을 방지해 본다.

❷ 주차시 조치(4륜차)
기온이 아주 낮을 때 옥외에 주차를 하게 되면 브레이크 일부가 얼어붙는 경우가 있으므로 핸드 브레이크를 걸지 말고 기어를 로(Low) 또는 백(Back)에 넣고(오토매틱 차량은 P에 넣음) 필요에 따라 바퀴를 고정시켜 둔다.
또한 눈이 내리고 있을 때는 와이퍼를 올리거나 열쇠구멍에 그리스를 주입해 두면 동결을 방지할 수 있다.

운전면허 실기시험 테크닉 장내 기능 & 도로주행

2018년 1월 12일 발행
2022년 4월 20일 제1판 2쇄 발행

저　　자 : GB운전기획단
발 행 인 : 김 길 현
발 행 처 : (주) 골든벨
등　　록 : 제 1987-000018호 ⓒ 2018 Golden Bell
ISBN : 979-11-5806-281-1

이 책을 만든 사람들

촬 영 협 조 : 우석 자동차 운전 전문 학원
일 러 스 트 : 아우라 디자인 연구소
편집 및 표지디자인 : 조경미, 남동우
제 작 진 행 : 최병석
오프 마케팅 : 우병춘, 이대권, 이강연
회계관리 : 문경임, 김경아

동영상 콘텐츠 제작 : 龍 엔터테인먼트
기술교정 : 이상호
본문디자인 : 안명철
웹매니지먼트 : 안재명, 서수진, 김경희
공 급 관 리 : 오민석, 정복순, 김봉식

● 주소 : (우) 04316 서울특별시 용산구 원효로 245(원효로 1가 53-1) 골든벨 빌딩 5~6F
● TEL : 영업부 02-713-4135 / 편집부 02-713-7452
● FAX : (02)718-5510
● E-mail : 7134135@naver.com
● http://www.gbbook.co.kr

※ 파본은 구입하신 서점에서 교환해 드립니다.

정가 10,000원